LES CHEMINS DE COMPOSTELLE

Textes rédigés
avec la collaboration de Julie Roux
Cet ouvrage a été réalisé avec les aides et conseils
du Centro Estudios Camino Santiago - Sahagún
et d'Humbert Jacomet, Conservateur du Patrimoine

▲▲ *Histoire de Jacques et Hermogène, vitrail de la athédrale de Chartres. Le nagicien Hermogène essaya, n vain, de détourner acques de sa vocation.*

▲ *Décollation de Jacques le Majeur, autel en argent de aint Jacques, Pistoia.*

◀ *Jacques et Jean, Cámara anta, cathédrale d'Oviedo. acques et son frère furent urnommés les « Fils du onnerre » par le Christ.*

▶ *Marie Salomé, mère de acques le Majeur, cathédrale e Compostelle.*

JACQUES LE MAJEUR

Fils de Salomé et de Zébédée, frère de Jean l'Évangéliste, Jacques, pêcheur du lac de Tibériade, est dit *le Majeur,* car le premier à porter ce nom parmi les disciples du Christ. Selon les *Actes des Apôtres,* il meurt décapité, sur ordre du roi Hérode, vers l'an 44 de notre ère. Toutefois, la vie de cet apôtre, parfois confondu avec Jacques le Mineur, ou avec un autre Jacques, le frère de Jésus, est assez mal connue. Deux siècles après sa mort, Eusèbe de Césarée, dans son *Histoire Ecclésiastique,* raconte que sur le chemin du supplice, Jacques le Majeur aurait miraculeusement guéri un paralytique sous les yeux de son dénonciateur, Josias, qui se serait alors converti et aurait subi le martyre à ses côtés. Au début du Vᵉ siècle, Jérôme, dans son *Commentaire sur Isaïe,* attribue l'évangélisation de l'Illyrie et des Espagnes aux fils de Zébédée. Cette thèse est reprise, au VIIᵉ siècle, par Isidore de Séville puis, au VIIIᵉ siècle, par un moine du monastère asturien de San Martín de Liebana. Beatus, c'est son nom, compose un hymne liturgique, *Ô dei verbum,* où Jacques est évoqué comme le patron d'une *Hispania* qui a vu, quelque cinquante ans plus tôt, en 711, le royaume wisigoth de Tolède emporté par la vague de l'invasion musulmane. Vers 820, sous le règne d'Alphonse II le Chaste (792-842), un événement donne une base matérielle à la thèse de l'évangélisation de l'Espagne par

Jacques le Majeur : la découverte de son sépulcre, près d'Iria Flavia, en Galice, au nord-ouest de la péninsule ibérique. Le premier, l'ermite Pélage est averti par des anges de la présence du tombeau et, à peu de temps d'intervalle, des habitants du proche village de San-Fiz de Lovio aperçoivent une lueur céleste indiquant un lieu précis. Informé, Théodomir, l'évêque d'Iria, constatant lui aussi la lueur, ordonne des recherches. C'est ainsi qu'est découvert, caché sous des ronces recouvrant d'antiques arches de marbre, le tombeau de l'apôtre, en ce lieu qui deviendra, au Xe siècle, Compostelle. Mais il faut bien expliquer comment le corps de l'apôtre Jacques, mort à Jérusalem en l'an 44 de notre ère, est parvenu jusqu'aux rives galiciennes. Devant le silence de l'histoire, la légende s'empare des faits. Deux documents, la *Translatio* et la lettre apocryphe du pape Léon, postérieurs à la découverte et intégrés au *Codex Calixtinus* conservé dans les archives de la cathédrale de Compostelle, donnent leurs versions. Après le martyre de l'apôtre, sept disciples placèrent son corps dans une nef qui, conduite par la Providence, en sept jours, atteignit Iria Flavia, l'actuelle ville de Padrón. Puis ils l'ensevelirent à l'intérieur des terres. Des pèlerins commencent très vite à affluer auprès du tombeau de saint Jacques qui devait plus tard, comme *matamore*, prêter main forte aux acteurs de la *Reconquista*.

▲ *Saint Jacques et la Vierge du Pilar, détail d'une stalle de la cathédrale de Burgos. La tradition rapporte qu'en l'an 39, la Vierge apparut, sur un pilier, à Jacques le Majeur, alors qu'il prêchait à Saragosse.*

◄ *La translation de saint Jacques, fresque de Notre-Dame de Rabastens. Après avoir abordé en Galice, les disciples de saint Jacques, soucieux de lui donner une sépulture, s'adressèrent à Luparia, qui, parmi les pièges qu'elle leur tendit et qu'ils déjouèrent, les fit affronter un dragon et des taureaux sauvages. Luparia finit par leur céder un temple où ils creusèrent le tombeau de l'apôtre.*

◄ *Clavijo, le château. En 844, saint Jacques apparut aux côtés du roi asturien Ramire Ier, lors de la mythique bataille de Clavijo, contre Abd al-Rahmân II. Transfiguré en guerrier Matamore, monté sur un destrier étincelant de blancheur, l'apôtre mena ses protégés à la victoire.*

► *Saint Jacques Matamore, tympan de Clavijo, cathédrale de Compostelle. Au XIIe siècle, apparut, à côté des représentations de saint Jacques apôtre ou pèlerin, celle du « tueur de Maures ».*

▲ *Saint-Jacques-de-Compostelle, la cathédrale, le coffre en argent contenant les reliques de saint Jacques et des saints Théodore et Athanase. Ce coffre est placé dans la crypte, sous le maître-autel, à l'endroit même où fut trouvé, vers 820, le tombeau de l'apôtre.*

◀ *Montserrat, l'abbatiale Sainte-Cécile, du* XI*e* *siècle.*

▶ *Le Puy, Saint-Michel d'Aiguilhe. En 951, Godescalc fit construire ce sanctuaire dédié à l'archange saint Michel.*

◀◀ *Léon, San Isidoro, Martial l'échanson, fresque du panthéon royal. Dans cette ville investie par al-Mansûr à la fin du Xe siècle, les pèlerins purent vénérer, à partir de 1063, les reliques de saint Isidore. Certains, de Léon, faisaient le pèlerinage du Saint-Sauveur à Oviedo où, dans la Cámara Santa de la cathédrale, ils s'arrêtaient devant la Sainte Châsse.*

◀ *Monte del Gozo. Le Mont de la Joie, le bien nommé. De son sommet, les pèlerins apercevaient Compostelle pour la première fois.*

SUR LE CHEMIN DES ÉTOILES

Alphonse II le Chaste est le premier pèlerin à venir honorer le tombeau de l'apôtre, comme l'atteste un document de 834. Au-dessus du sépulcre, il fait ériger un petit sanctuaire « de pierre et d'argile ». Devant le nombre croissant de pèlerins, son troisième successeur, Alphonse III le Grand (866-910), fait construire une basilique plus grande, consacrée en 899. La nouvelle de la découverte franchit bientôt les Pyrénées et, rapidement, des pèlerins venus de toute de la chrétienté se mettent en marche vers Compostelle. En 930, un moine aveugle de Reichenau se rend aux confins de la Galice. En 950, l'évêque du Puy, Godescalc, entreprend le pèlerinage, suivi, en 959, de Caesarius, abbé de Sainte-Cécile de Montserrat, puis de l'archevêque de Reims. En 961, Raymond II, comte de Rouergue et marquis de Gothie, est assassiné sur le chemin de Saint-Jacques. À Compostelle, un noyau urbain a grandi autour du sanctuaire. Mais en 971, la ville doit repousser les assauts conjugués des Normands et des Maures, avant d'être mise à sac, en 997, par al-Mansûr, qui respecte toutefois le tombeau de l'apôtre. Une fois reconstruite, la basilique, bientôt trop exiguë pour accueillir le flot toujours grandissant des marcheurs de Dieu, est remplacée par une vaste cathédrale dont l'évêque Diego Peláez lance le chantier en 1078. Le pèlerinage de Saint-Jacques est alors devenu l'un des trois grands de la Chrétienté, avec Rome et Jérusalem. Vers 1130, un moine poitevin, Aimery Picaud, rédige le *Guide du pèlerin,* dernier livre du *Codex Calixtinus,* où il décrit les principaux chemins menant à Compostelle, fixe les étapes et donne la liste des corps saints que tout jacquet se doit d'honorer sur sa route. Les motivations des pèlerins sont diverses : certains effectuent le pèlerinage par pure dévotion ; d'autres espèrent obtenir une faveur spirituelle, comme le salut de leur âme, ou matérielle, comme une guérison ; d'aucuns accomplissent des vœux prononcés en des moments de grand péril ; des chevaliers y voient l'occasion d'organiser des pas d'armes ; les condamnés des tribunaux civils ou de l'Inquisition purgent leur peine par le pèlerinage expiatoire ; enfin, quelques pèlerins professionnels se rendent à Compostelle pour le compte d'autrui. Munis du bourdon, de la besace et de la calebasse, arborant l'emblématique coquille, les jacquets affrontent maints dangers le long de la route, que jalonnent heureusement de nombreux hôpitaux, où ils peuvent se soigner, se restaurer et se reposer. Après des semaines d'effort, le but atteint, ils peuvent enfin se recueillir auprès du tombeau de l'apôtre. De retour chez eux, beaucoup perpétuent le souvenir de leur pèlerinage au sein de la confrérie de Saint-Jacques de leur ville ou de leur village.

▲▲ *Loups attaquant des pèlerins, musée de Roncevaux. Horde de loups, traversée de rivières, intempéries, faim et soif étaient le lot quotidien des pieux marcheurs.*

▲ *Pèlerins, détail de la frise de l'Ospedale del Ceppo, Pistoia.*

◀ *Compostela. Afin de prouver qu'ils ont accompli le pèlerinage, et se distinguer des coquillards, ces bandits dissimulés sous l'habit de pèlerin, les authentiques jacquets arborent la Compostela qui leur est remise au terme de leur pérégrination.*

▲ *La porte du Romero de l'Hospital del Rey, Burgos.*

▶ *Les pèlerins d'Emmaüs, bas-relief du cloître de Silos. Enrichi au contact des artistes mozarabes et musulmans, l'art roman s'épanouit le long des chemins de Saint-Jacques, voies de Dieu où circulent les hommes, mais aussi les idées, les techniques, et les arts. Le maître qui réalisa les chefs d'œuvre de Silos est-il celui qui travailla à Souillac ou à Moissac ? Serait-ce la l'œuvre d'un maître venu d'al-Andaloûs ? Le Christ, qui apparut aux marcheurs sur la route d'Emmaüs, est ici représenté en pèlerin, portant la besace ornée de la coquille.*

◀ *Hospital de Orbigo, le pont sur l'Orbigo. L'année 1434 était une année jubilaire. Pour la célébrer, le chevalier léonais Suero de Quiñones imagina d'organiser un tournoi, le Paso Honroso. Afin de se libérer de l'amour qu'il portait à une dame, en l'honneur de laquelle il portait, tous les jeudis, un collier d'argent doré, il défia, avec neuf autres tenants, tout chevalier qui s'aventurerait à traverser le pont sur l'Orbigo, s'engageant à briser jusqu'à trois cents lances contre ceux qui relèveraient son défi.*

▲ *Chartres, la cathédrale Notre-Dame.*

◀ *Paris, la tour Saint-Jacques, seul vestige de l'église Saint-Jacques-de-la-Boucherie.*

▶ *Chartres, Jacques le Majeur, fresque de la crypte.*

▶▶ *Tours, la tour Charlemagne, vestige de l'ancienne basilique Saint-Martin.*

▲ *Aulnay en Saintonge, l'église Saint-Pierre.*

◀ *Poitiers, l'église Notre-Dame-la-Grande. Canon de l'art roman, elle fut achevée entre 1120 et 1150.*

▶ *Saint-Jean-d'Angély, les deux tours de l'abbatiale baroque, restée inachevée.*

▶▶ *Le Mont-Saint-Michel.*

VIA TURONENSIS

Les pèlerins du nord et du nord-est de l'Europe se retrouvaient à Paris. Ils entendaient la messe à l'église Saint-Jacques-de-la-Boucherie, à l'emplacement de laquelle une chapelle dédiée à l'apôtre existait dès 1079. De Paris, certains gagnaient Tours par Chartres, Châteaudun, Vendôme, Montoire et Saint-Jacques-des-Guérets. Mais la majorité, suivant en cela les indications du *Guide du pèlerin*, optait pour le chemin qui passait par Orléans, Notre-Dame de Cléry et Blois. Tours, dont Martin fut l'évêque au IVe siècle, a donné son nom à la *via Turonensis* ; la ville attirait de nombreux pèlerins auprès du tombeau de l'*apôtre des Gaules*. De Tours, le chemin se dirigeait vers Châtellerault puis atteignait Poitiers dont Hilaire, maître spirituel de Martin, fut l'évêque. Incendiée, en 732, par Abd al-Rahmân, avant sa défaite devant Charles Martel, la basilique Saint-Hilaire abrite toujours, dans sa crypte, les reliques du saint. De Poitiers, certains jacquets suivaient un trajet secondaire, parallèle au chemin principal, qui atteignait La Sauve-Majeure par Charroux, Civray et Angoulême. Mais la plupart d'entre eux gagnaient Saintes après avoir traversé Lusignan, Melle, Aulnay et Saint-Jean-d'Angély. À Melle, ils étaient rejoints par les pèlerins venus du Mont-Saint-Michel, via Parthenay, la ville d'Aimery Picaud, qui, dans son *Guide*, consacre un chapitre important à Eutrope, l'apôtre de la Saintonge, martyr de la fin du IVe siècle. Après Saintes, Pons et son Hôpital Neuf attendaient les pèlerins. Puis venait Blaye, où Charlemagne fit inhumer Roland, après l'embuscade de Roncevaux, en 778. Il fallait alors franchir la Gironde en barque pour atteindre Bordeaux. D'aucuns préféraient voguer vers l'embouchure et visiter le sanctuaire de sainte Véronique à Soulac ; remontant l'estuaire, puis la Garonne, les autres débarquaient à Bordeaux, au port des *Peregris* : après s'être recueillis devant la tombe de saint Seurin, évêque de la ville au début du Ve siècle, ils trouvaient quelque repos à l'hôpital Saint-James, avant d'entreprendre la traversée redoutée des Landes. Après Mons, Saugnacq-et-Muret et Labouheyre, ils passaient par l'église Saint-Paul, près de Dax. De là, le chemin de Cagnotte franchissait les Gaves Réunis avant l'abbaye d'Arthous, au niveau de Peyrehorade ; celui de Pouillon traversait d'abord le gave de Pau, puis celui d'Oloron, et arrivait à l'abbaye de Saint-Jean de Sorde. À Sauveterre, la *via Turonensis* rejoignait la *via Lemovicensis,* puis, au carrefour de Gibraltar, près de Saint-Palais, elle retrouvait la *via Podiensis.* Après Saint-Jean-Pied-de-Port, les jacquets franchissaient les Pyrénées au col de Cize et, par Roncevaux, où un hôpital fut fondé en 1132, ils rejoignaient Pampelune, puis Obanos et Puente la Reina.

◄ *Saintes, les arènes et l'église Saint-Eutrope. D'après la légende, Pierre envoya en mission Eutrope, fils de l'émir de Babylone. Arrivé dans la ville de Mediolanum Santonum, fondée en 20 avant J.-C., il l'évangélisa. En réalité, l'apôtre des santons vécut au IVe siècle. Les pèlerins se recueillaient devant ses reliques dans la crypte de l'église Saint-Eutrope. Mais ils ne manquaient pas de faire, également, une halte à l'Abbaye-aux-Dames.*

► *Bordeaux, sarcophage de la crypte de Saint-Seurin.*

◄◄ *La Sauve-Majeure. Cette abbaye bénédictine, fondée en 1079, constituait une halte appréciée des pèlerins qui, de Poitiers, rejoignaient Belin par Charroux et Angoulême.*

◄ *Le chevet de Saint-Jean de Sorde. L'abbaye Saint-Jean de Sorde, sur les rives du gave d'Oloron, disposait d'un grand hôpital où les pèlerins pouvaient se reposer avant d'affronter les montagnes pyrénéennes. Les moines de l'abbaye de Sorde exploitaient une fructueuse pisciculture.*

◄ *Saint-Jean-Pied-de-Port, la Nive et l'église Notre-Dame. Les pèlerins entraient dans la ville haute par la porte Saint-Jacques, puis suivaient la rue d'Espagne jusqu'au pont sur la Nive.*

► *Roncevaux, l'église Saint-Jacques. Au XVIIe siècle, l'hôpital Notre-Dame de Roncevaux servait encore, annuellement, plus de vingt mille rations aux marcheurs de Dieu.*

►► *Pampelune, le cloître de la cathédrale, la Puerta Preciosa.*

▲ *Vézelay, la basilique Sainte-Marie-Madeleine, le tympan. En redécouvrant le tombeau de Marie-Madeleine, en 1279, les moines de Saint-Maximin-la-Sainte-Baume, mirent un terme au pèlerinage à Vézelay, qui resta, cependant, le point de ralliement des jacquets au départ de la via Lemovicensis.*

◀◀ *Bourges, chevet de la cathédrale Saint-Étienne.*

◀ *Nevers, le pont et la cathédrale.*

▶ *Saint-Léonard-de-Noblat.*

▲▲ *Neuvy-Saint-Sépulcre. Cette rotonde, semblable à celle du Saint-Sépulcre de Jérusalem, fut construite à partir de 1142. En 1257, elle reçut trois gouttes du sang du Christ.*

▲ *La Souterraine, l'abbatiale. Commencée en 1015, l'abbaye dépendait de Saint-Martial de Limoges.*

VIA LEMOVICENSIS

Au cœur de la Bourgogne, l'abbaye de Vézelay était le point de ralliement des pèlerins venus de Belgique, des Ardennes, de Lorraine ou de Champagne. Fondée, en 855, par Girart de Roussillon, l'abbaye se rattacha à Cluny en 1055, avant de recevoir les reliques de Marie-Madeleine. De Vézelay, les pèlerins pouvaient atteindre Éguzon soit en empruntant le chemin berrichon, par La Charité-sur-Loire, Bourges, Chârost, Issoudun, et Déols, soit en suivant la voie nivernaise, qui, par Bazoches, les conduisait à Nevers, Saint-Amand-Montrond, La Châtre, l'abbaye cistercienne de Varennes, et Neuvy-Saint-Sépulcre. Délaissant la *via Lemovicensis* à Nevers, certains rejoignaient la *via Podiensis* par un chemin secondaire qui traversait l'Auvergne via Orcival, Issoire et Brioude. Après Éguzon, la *via Lemovicensis* dépassait la cité de La Souterraine, du nom de son sanctuaire souterrain d'origine gallo-romaine, et l'abbaye de Bénévent, qui prit le nom de la ville italienne de Benavente, d'où provenaient les reliques de saint Barthélemy qu'elle possédait depuis 1028. Puis venait Saint-Léonard-de-Noblat, étape importante du chemin. Le *Guide* d'Aimery Picaud consacre un long développement à saint Léonard, filleul de Clovis et neveu de Rémi, l'évêque de Reims, connu comme « briseur de chaînes », et donc vénéré par de nombreux prisonniers. Une fois libérés, ces derniers apportaient, près de son tombeau, leurs anciennes entraves en guise d'*ex-voto.* Limoges était la prochaine étape des jacquets. L'antique *Augustoritum* fut évangélisée par Martial à la fin du IIIe siècle et, à partir du IXe siècle, une ville marchande s'organisa autour de l'abbaye bénédictine qui conservait ses reliques. Après la forteresse de Châlus, où Richard Cœur de Lion trouva la mort, en 1199, les pèlerins entraient en Périgord par le bourg de La Coquille, au nom évoquant toujours le souvenir de leur passage. Certains d'entre eux faisaient alors un détour par l'abbaye bénédictine de Brantôme, sur les rives de la Dronne, quand d'autres rejoignaient directement Périgueux par Sorges. À Périgueux, l'antique *Vésona,* les pèlerins se recueillaient auprès du sépulcre de l'apôtre du Périgord, saint Front, qui, outre son don d'ubiquité, avait le pouvoir de faire fuir les reptiles. La Dordogne franchie à Bergerac, certains gagnaient l'abbaye cistercienne de Cadouin, qui se targuait de posséder, depuis le XIIe siècle, la relique du saint Suaire. Après la bastide d'Eymet, les jacquets traversaient la Garonne à La Réole. Puis venait Bazas, annonçant l'entrée des Landes. Et après Captieux, Roquefort et Mont-de-Marsan, passant par les abbayes de Saint-Sever et d'Hagetmau, la *via lemovicensis* rejoignait, par Oloron et la commanderie d'Orion, la *via Turonensis* à Sauveterre.

◄ *Périgueux, la cathédrale Saint-Front. Il existe cinq vies légendaires de saint Front, l'évangélisateur de l'antique Vésona qui prit le nom de Périgueux, en 1251.*

► *Bergerac, l'église Saint-Jacques.*

►► *Bazas, la cathédrale. Sa construction fut ntreprise en 1233 et achevée, au début du XIVe siècle, avec l'aide du gascon Bertrand de Got, devenu pape sous le nom de Clément V. Ce fut lui qui installa, en 1308, la cour pontificale en Avignon.*

◄◄ *Saint-Pierre-du-Mont, le chevet.*

◄ *Orthez, le Pont-Vieux sur le gave de Pau. Ce fut Gaston IV le Croisé qui, vers 1095, rattacha Orthez au Béarn. Gaston VII Moncade (1229-1290) en fit sa capitale. Les pèlerins, qui avaient trouvé refuge à l'hôpital des Trinitaires, quittaient la cité par le pont enjambant le gave de Pau, dont la construction fut sans doute décidée par Gaston VII, et que Gaston Phébus (1343-1391) acheva de fortifier.*

◄ *Saint-Sever, le chevet de l'ancienne abbatiale.*

► *Sauveterre-de-Béarn, le pont de la légende. À la mort de son époux, Gaston de Béarn, Sancha était enceinte. Mais elle fit une fausse couche. Pensant qu'elle l'avait provoquée, les Béarnais la jetèrent, pieds et poings liés, du haut de ce pont. La Vierge de Rocamadour la recueillit et la déposa sur un banc de sable. En 1170, Sancha offrit à l'abbé de Rocamadour une tapisserie destinée à la chapelle de Notre-Dame.*

▲ *Le Puy. Selon la légende, la Vierge apparut, sur un dolmen, à une matrone d'Anis. Après l'avoir guérie de ses fièvres, elle lui demanda d'ériger une église en ces lieux.*

▼ *Bessuéjouls, l'église Saint-Pierre, un détail de l'autel de la chapelle haute : saint Michel combattant le dragon.*

▲▲ *La Domerie d'Aubrac. Située en bordure du chemin, à 1 307 mètres d'altitude, la domerie comportait une église, des bâtiments conventuels, un hôpital et un cimetière. Elle était tenue par une communauté de chanoines Augustiniens.*

▲ *Espalion, le Pont-Vieux.*

◄ *Conques. Poème occitan du XIIe siècle, la « Chanson de sainte Foy » raconte comment la jeune Foy, issue d'une riche famille gallo-romaine d'Agen, et convertie au catholicisme, fut condamnée à périr, brûlée vive, sur un gril. Un orage providentiel ayant éteint le foyer, Foy fut finalement décapitée. En 866, un moine de Conques, Aronisde, déroba ses reliques à Agen pour les ramener dans son abbaye.*

VIA PODIENSIS

Sur les pas de Godescalc, l'évêque du Puy, qui, en 950, fut un des premiers pèlerins non hispaniques à aller à Compostelle, les jacquets venus de l'est de l'Europe se rassemblaient au Puy, qui a donné son nom à la *via Podiensis.* Au cœur de ce bassin fertile, hérissé de pitons rocheux et dominé par les volcans du Velay, la Vierge apparut à une matrone de l'antique cité d'Anis et, au début du Ve siècle, l'évêque Scutaire fit ériger une cathédrale vouée à Notre-Dame. Au retour de son pèlerinage, en 951, Godescalc dota la ville d'une chapelle dédiée à l'archange Michel, sur le rocher d'Aiguilhe. Au départ du Puy, les pèlerins traversaient l'Allier, franchissaient la Margeride, puis atteignaient Saugues, avant Nasbinals et les solitudes de l'Aubrac. Guidant leurs pas au tintement de la *cloche des perdus,* ils trouvaient refuge à la Domerie Notre-Dame des Pauvres, fondée, en 1120, par Adalard, comte de Flandre, à son retour de Compostelle. Puis, par Saint-Chély-d'Aubrac, le chemin descendait vers la riante vallée du Lot. Par Saint-Côme-d'Olt et Espalion, que domine le château de Calmont-d'Olt, les jacquets dépassaient l'église Saint-Pierre de Bessuéjouls et Estaing. Après Golinhac et Sénergues, ils atteignaient l'abbaye bénédictine de Conques dont la magnifique abbatiale, au plan caractéristique des églises de pèlerinage, abritait les reliques de sainte Foy, cette jeune martyre du règne de

Dioclétien. Au départ de Conques, deux chemins s'offraient aux pèlerins pour gagner Moissac : soit ils passaient par Villeneuve, dont l'église s'orne d'une fresque représentant le miracle du pendu-dépendu, puis poursuivaient par le prieuré de Laramière, Caylus et Caussade ; soit ils rejoignaient la vallée du Célé à Figeac, d'où ils pouvaient faire un détour par Rocamadour, avant d'atteindre le Lot, qu'ils franchissaient à Cahors en empruntant le pont Valentré ; dépassant les bastides de Montcuq et de Lauzerte, le chemin gagnait alors les rives du Tarn et Moissac. La légende attribue la fondation de Saint-Pierre de Moissac à Clovis. L'abbaye s'affilia à Cluny en 1047 et, en 1063, sa nouvelle abbatiale était consacrée. Les sculptures du tympan et du cloître furent exécutées entre 1085 et 1115. Après avoir traversé la Garonne en bac, les pèlerins arrivaient à Auvillar. Lectoure, La Romieu, Condom, Larressingle, Eauze, Nogaro, Aire-sur-l'Adour se succédaient le long du chemin qui sillonnait la Gascogne. Puis, traversant le Béarn par Larreule, Urdès, et l'abbaye de Sauvelade, fondée en 1123 par Gaston le Croisé, vicomte de Béarn, les jacquets atteignaient Navarrenx, siège d'une commanderie desservie par les Antonins. Aux pieds du mont Saint-Sauveur, le carrefour de Gibraltar, point de jonction de la *via Podiensis* avec les *viae Turonensis* et *Lemovicensis,* n'était alors plus très loin…

▶ *Rocamadour. Au cœur du causse de Gramat, en Quercy, la falaise de Rocamadour se dresse dans l'étroite vallée de l'Alzou. Aux premiers temps du christianisme, un homme de Dieu, Amadour, s'y retira et bâtit un petit oratoire dédié à la Vierge. Dès l'aube du XIe siècle, le site était l'objet d'un pèlerinage qui connut un grand essor après la découverte, en 1166, sous le parvis de la chapelle Notre-Dame, du corps intact de saint Amadour.*

◀ *La Romieu, la collégiale.*

◀ *Cahors, le pont Valentré.*

▲ *Figeac, un chapiteau de Notre-Dame-du-Puy. Roi d'Aquitaine de 838 à 852, Pépin II offrit à l'abbaye de Conques, les terres de Figeac, au cœur d'un fertile bassin de la vallée du Célé, où un nouveau monastère fut édifié.*

◀ *Villeneuve d'Aveyron, chapelle du Saint-Sépulcre de l'église, la fresque du miracle du pendu-dépendu, un des vingt-deux miracles de saint Jacques. Injustement accusé de vol, un jeune pèlerin fut pendu. De retour de Compostelle, ses parents le trouvèrent pendu, mais vivant. Ils annoncèrent le miracle au juge, qui s'apprêtait à dîner d'un coq et d'une poule, et qui leur dit qu'il les croirait si les gallinacés se mettaient à chanter. Ce qu'ils firent…*

▲ *Moissac, le portail de l'abbatiale Saint-Pierre, détail du trumeau, Jérémie.*

▼ *Moissac, le cloître de l'abbaye Saint-Pierre. La mention « En l'an de l'Incarnation du Père éternel 1100 » est gravée sur le pilier central de la galerie ouest.*

▲ *Saintes-Maries-de-la-Mer, la barque des saintes. Selon la tradition, Marie Jacobé, sœur de la Vierge, Marie Salomé, mère de Jacques le Majeur et de Jean, et leur servante noire, Sara, guidées par la Providence dans une barque sans voile ni rame, avaient accosté sur la côte camarguaise.*

▶▶ *Saint-Guilhem-le-Désert.*

▶ *Arles, le cloître et le clocher de la cathédrale Saint-Trophime. Trophime arriva à Arles, en 46, et évangélisa la ville. Dix ans plus tard, il s'en fut à Éphèse retrouver Paul qu'il suivit en Espagne. Avant de retourner en Asie, Paul et Trophime résidèrent en Arles dans une maison près de l'amphithéâtre. Après un séjour à Milet, Trophime y revint pour bénir la nécropole des Alyscamps. À cette occasion, le Christ apparut, marquant de l'empreinte de son genou, le rocher où il s'était agenouillé.*

◀ *Saint-Gilles, sculpture du portail, le baiser de Judas. Gilles naquit à Athènes vers 640. Renonçant à l'héritage paternel, il vint en Arles où Césaire l'ordonna prêtre. Ses miracles attirant les foules, il se retira dans les gorges du Verdon. Là, une biche le nourrissait de son lait. Le roi Wamba la prit en chasse mais blessa de sa flèche l'homme de Dieu. Pour obtenir son pardon, Wamba fit construire une abbaye dont Gilles devint l'abbé.*

▶ *Toulouse, la basilique Saint-Sernin, le chevet.*

VIA TOLOSANA

Arles, l'antique *Arelate*, était le point départ de la *via Tolosana*. S'y retrouvaient les pèlerins venus d'Italie ou de Provence. Élevée aux XIe et XIIe siècles, la cathédrale Saint-Trophime abritait, depuis 1152, les reliques du premier évêque de la cité. Son beau portail roman fut achevé à temps pour le couronnement de Frédéric Barberousse comme roi d'Arles, en 1178. À Arles, les pèlerins vénéraient aussi les reliques de saint Césaire, dans l'église Saint-Blaise, ainsi que celles de saint Genest et de saint Honorat, dans la prieurale Saint-Honorat, aux Alyscamps. Quittant la ville, certains allaient se recueillir, sur la côte camarguaise, auprès des tombeaux de Marie Jacobé et Marie Salomé, la mère de Jacques le Majeur. L'abbaye de Saint-Gilles, qui possédait les reliques de son fondateur légendaire, était la prochaine étape du chemin. Puis par Montpellier et Aniane, les pèlerins atteignaient Saint-Guilhem-le-Désert et le sépulcre de Guillaume, mort en 812, après avoir créé une *cella* monastique dans la vallée de Gellone. Certains jacquets gagnaient Toulouse par Lodève et Castres. D'autres, suivant l'avis d'Aimery Picaud, longeaient la vallée de l'Hérault et, après Pézenas, s'arrêtaient au monastère de Saint-Thibéry où reposaient les corps des saints Thibéry, Modeste et Florence, martyrisés sous Dioclétien. Après Béziers et son église Saint-

Jacques, ils rejoignaient Toulouse par Carcassonne, s'ils n'avaient décidé de suivre la route du piémont pyrénéen : par Saint-Gaudens et Saint-Bertrand-de-Comminges, celle-ci les conduisait à Oloron-Sainte-Marie. À Toulouse, qui donna son nom à la *via Tolosana*, de nombreux hôpitaux attendaient les pieux marcheurs. La basilique Saint-Sernin, construite à partir de 1060, et consacrée, en 1096, par Urbain II, abritait les reliques de saint Sernin, mais aussi des restes de Jacques le Majeur, offerts, selon la légende, par Charlemagne. Toulouse aurait été le théâtre du miracle du pendu-dépendu, célèbre parmi les vingt-deux miracles de l'apôtre, dont les récits constituent le second livre du *Codex Calixtinus.* Quittant Toulouse, la *via Tolosana* traversait la Gascogne par Gimont, Auch, Barran, Montesquiou et Maubourguet. Parvenue en Béarn, elle dépassait Morlaàs, Lescar, Lacommande et Orthez, puis remontait la vallée d'Aspe pour franchir le col du Somport, où, dès le début du XIIe siècle, les pèlerins étaient accueillis à l'hôpital Sainte-Christine. Suivant l'Aragon, le chemin atteignait Jaca après avoir traversé Campfranc puis, entrant en Navarre, il passait aux pieds de l'abbaye de Leyre. Après le château de Javier, Sangüesa, Monreal, et la chapelle d'Eunate, la *via Tolosana* rejoignait, à Obanos, aux portes de Puente la Reina, les trois autres chemins réunis depuis Saint-Palais.

▲▲ *Toulouse, église des Jacobins, le « palmier ». Présents à Toulouse dès la création de leur ordre, en 1215, les Dominicains y édifièrent leur couvent, achevé en 1325. Son église abrite les reliques de saint Thomas d'Aquin depuis 1369.*

▲ *Auch, la cathédrale Sainte-Marie, le palais de l'Officialité et la tour d'Armagnac.*

◀ *Sangüesa, statues-colonnes du portail de l'église Santa María la Real.*

▲▲ *Morlaàs, portail de l'église Sainte-Foy, détail du tympan.*

▲ *Lescar, mosaïque du chœur de la cathédrale. Réalisée au XIIᵉ siècle, cette mosaïque illustre une scène de chasse décelant l'influence d'artistes d'al-Andaloûs.*

► *Saint-Just de Valcabrère et Saint Bertrand-de-Comminges. Vers 1100, l'évêque Bertrand de l'Isle fit ériger la cathédrale Sainte-Marie où il fut enseveli. Sa tombe devint l'objet d'un pèlerinage. À la fin du XIIIᵉ siècle, l'évêque Bertrand de Got, le futur pape Clément V, réaménagea la cathédrale dans le style gothique.*

◄ *Eunate, l'église Santa María. Construite sur un plan octogonal, entourée d'un portique formant un cloître périphérique, cette église était peut-être une chapelle funéraire.*

▼ *Jaca, tympan de la cathédrale. Cette cathédrale, du XIᵉ siècle, abrite les reliques de san Indalecio, un des sept disciples de saint Jacques.*

▲ *Puente la Reina, le pont sur l'Arga. Ce pont à six arches fut construit au XIe siècle, à l'intention des pèlerins, au point de rencontre des chemins du Somport et de Roncevaux.*

◀◀ *Estella, église San Pedro de la Rúa.*

◀ *Nájera, détail du cloître de Santa María la Real.*

▶ *San Millán de la Cogolla, détail du reliquaire de san Millán. Les monastères de Suso et Yuso sont dédiés à san Millán, ermite thaumaturge du VIe siècle.*

▲▲ *Irache. Le monastère bénédictin d'Irache se dota d'un hôpital pour pèlerins en 1050.*

▲ *Torres del Río, l'église du Saint-Sépulcre. Une lanterne des morts coiffe la coupole mudéjar de cette chapelle funéraire.*

LE CAMINO FRANCÉS

Ce fut sous Sanche III le Grand (1000-1055) qu'un chemin stable, sûr et quasiment unique relia Puente la Reina à Saint-Jacques-de-Compostelle. Il prit le nom de *Camino francés* parce que nombre de pèlerins venaient du nord des Pyrénées mais aussi parce que beaucoup de *Francos*, clercs, moines, artisans ou marchands, vinrent s'établir le long de son tracé. Alphonse Ier le Batailleur (1104-1134) encouragea la fondation d'une ville nouvelle à proximité du pont de Puente la Reina, construit dans la première moitié du XIe siècle. L'empruntant pour franchir l'Arga, les pèlerins, passé Cirauqui, gagnaient Estella, sur la rive droite de l'Ega. En 1090, Sanche Ramirez Ier (1063-1094) invita des *Francos* à s'y installer. À la sortie d'Estella, Irache était un monastère bénédictin. Pour rejoindre Logroño, les jacquets franchissaient l'Èbre sur un pont dont la construction était attribuée à l'ermite Domingo de la Calzada et à son disciple Juan de Ortega. Puis à Navarrete, l'hôpital de Saint-Jean d'Acre réconfortait les pieux marcheurs. Le roi Don García, qui fonda le monastère Santa María la Real de Nájera, aurait bien aimé y ramener les reliques de san Millán de la Cogolla. Mais les hommes et le Ciel s'opposèrent à ses projets, laissant les reliques au monastère de Yuso. La ville de Santo Domingo de la Calzada prit le nom du saint ermite qui consacra sa vie à aménager

le *Camino,* le dotant de ponts pour faciliter le passage des pèlerins. C'est à Santo Domingo que fut définitivement localisé le miracle du pendu-dépendu. Après les monts de Oca et San Juan de Ortega, Burgos était la prochaine étape. Fondée, en 884, par le comte Diego Rodriguez, la ville possédait plusieurs hôpitaux, dont l'*Hospital del Rey,* dépendant de l'abbaye de Las Huelgas Reales. Les travaux de la cathédrale furent entrepris en 1221. Après Burgos, le chemin continuait par Castrojeriz, franchissait le Pisuerga par le *puente Fitero,* puis entrait en *Tierra de Campos,* dont Frómista, Villalcázar de Sirga, Carrión de los Condes, et Sahagún étaient les principales étapes. Venait ensuite Léon où, dès la fin du XIe siècle, les pèlerins purent vénérer les reliques de san Isidoro. La construction de la cathédrale, chef-d'œuvre du gothique espagnol, fut entreprise sous le règne d'Alphonse IX. De Léon, les jacquets gagnaient Astorga par Hospital de Orbigo, traversaient la Maragateria et franchissaient le col de Foncebadón où se dresse la Cruz de Ferro. Abordant le Bierzo par Ponferrada et son château templier, ils le quittaient après Villafranca et son église Saint-Jacques. Le col du Cebreiro franchi, c'était la Galice. Puis, passés Triacastela, Samos, Portomarín, Palas de Rei, Castañeda, et les eaux de la Lavamentula où ils faisaient leurs ablutions, ils pouvaient contempler, enfin, du sommet du *Monte del Gozo,* la ville de l'apôtre.

◀ Burgos, la voûte du
ımbour de la cathédrale.

· Frómista, l'église San
Iartín.

▶ Villalcázar de Sirga,
porche de l'église Santa
Iaría la Blanca.

▼ Carrión de los Condes,
Christ pantocrator de
·église Santiago.

◀◀ Sahagún, chevet de
l'église San Tirso.

◀ Léon, façade de la
cathédrale.

▼ Léon, étendard de Baeza,
trésor de San Isidoro. À Baeza,
Alphonse VII fut le
vainqueur de la bataille
grâce à l'intercession de san
Isidoro.

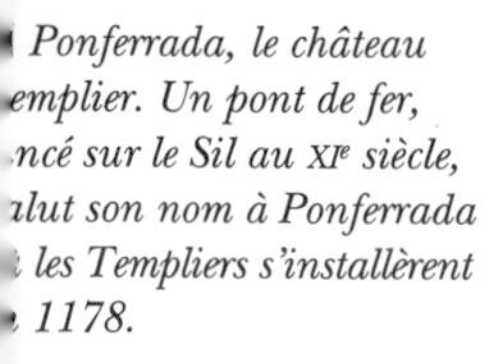

◀ Ponferrada, le château
templier. Un pont de fer,
ıncé sur le Sil au XIe siècle,
ılut son nom à Ponferrada
: les Templiers s'installèrent
ı 1178.

La Cruz de Ferro. Au col
· Foncebadón, elle se dresse
ır l'amas des pierres jetées
ır les jacquets.

Astorga, les remparts,
chevet de la cathédrale
le palais épiscopal de
audí.

▶ L'église Santa María du
·breiro.

▲▲ Cathédrale de Compostelle, la statue du saint sur le maître-autel.

▲ Cathédrale de Compostelle, Pierre, Paul, Jacques et Jean, portique de la Gloire. Le marbre du trumeau, au-dessous de la statue de l'apôtre Jacques, est à jamais marqué par l'empreinte des cinq doigts de millions de pèlerins.

◀ Cathédrale de Compostelle, le botafumeiro.

▸ Cathédrale de Compostelle, détail du portail de Las Platerías.

SAINT-JACQUES-DE-COMPOSTELLE

Les pèlerins entraient dans la ville de l'apôtre par la *Puerta del Camino* et, suivant le chemin de France, ils atteignaient le *Paradiso*, le parvis nord de la cathédrale de Compostelle, animé par les *concheiros*, ces vendeurs de reproductions, en plomb ou en étain, de la célèbre coquille. Enfin arrivés au but, les jacquets recevaient des vêtements propres et passaient la nuit de leur arrivée à veiller le tombeau de saint Jacques. Au matin, après avoir écouté la lecture des indulgences, ils entendaient la messe, recevaient les sacrements, puis se voyaient décerner la *Compostela*. Un autre grand moment était celui où, montant derrière la statue de saint Jacques du maître-autel, ils pouvaient l'embrasser. Ce fut en 1095 que le siège de l'évêché d'Iria Flavia fut transféré à Compostelle et que la basilique prit le titre de cathédrale. Au XVIIIe siècle, celle-ci reçut une façade baroque, œuvre de l'architecte galicien Fernando de Casas y Novoa. De ses origines romanes, elle conserve de nombreux éléments, comme le portique de la Gloire, œuvre que le *maestro* Mateo exécuta de 1168 à 1188, ou encore le portail de *Las Platerías*, sur la façade méridionale, qui fut réalisé au début du XIIe siècle. Et aujourd'hui, près de mille deux cents ans après la découverte du tombeau de l'apôtre Jacques le Majeur, les pèlerins se pressent, toujours, vers Compostelle.

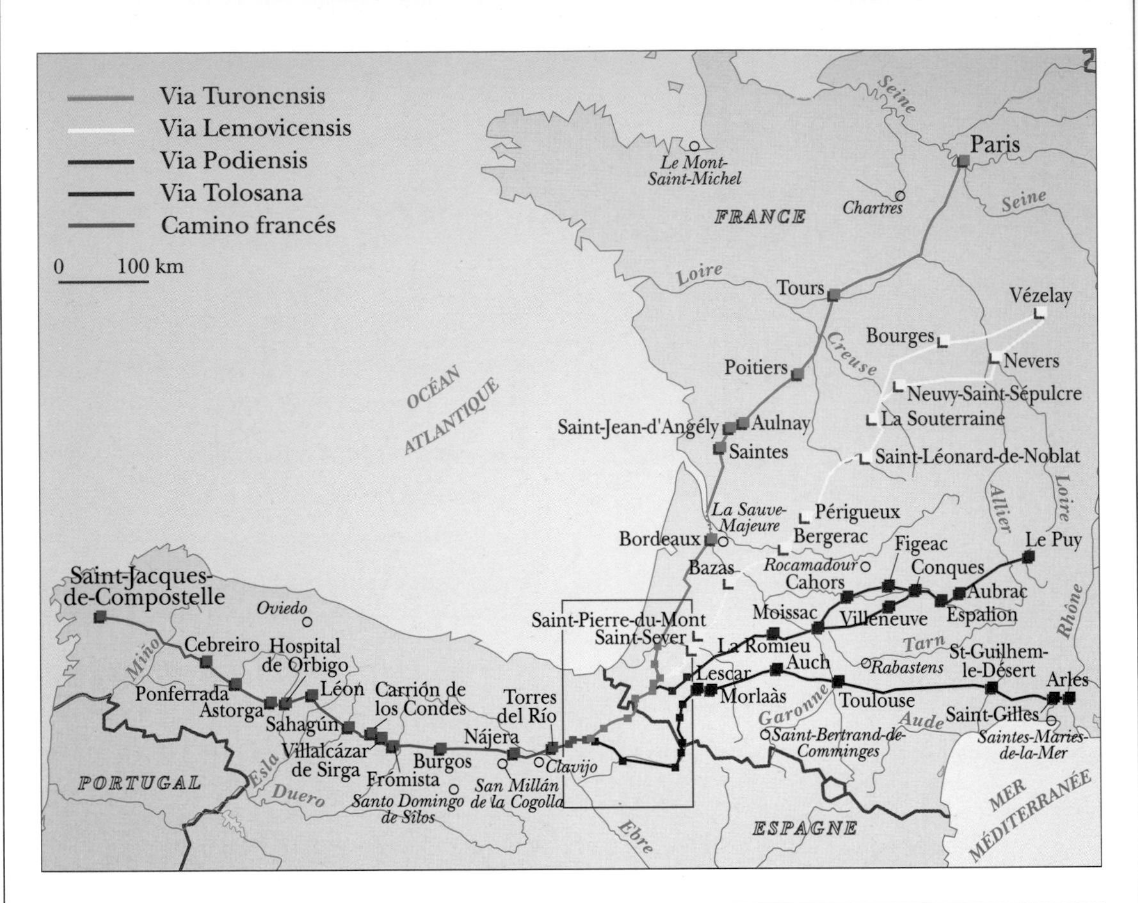

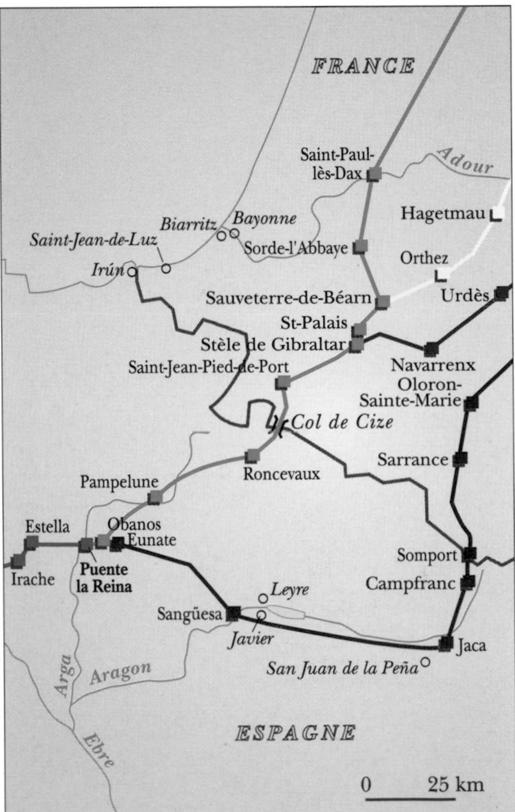

TABLE DES MATIÈRES